Colección Leo con Disney
Texto: Maite y Mercedes Figuerola
Diseño y maquetación: Ángel Sanz Martín

© Disney Enterprises, Inc.
Basado en las historias de Winnie the Pooh
escritas por A. A. Milne (© The Pooh Properties Trust)
© de la presente edición: Espasa Calpe, S. A., 2003
© de las ilustraciones: Disney Enterprises, Inc.
© del texto: Maite y Mercedes Figuerola

Primera edición: noviembre, 2003

Depósito legal: M. 40.292-2003
I.S.B.N.: 84-670-1060-6

Espasa, en su deseo de mejorar sus publicaciones, agradecerá cualquier
sugerencia que los lectores hagan al departamento editorial por correo
electrónico: sugerencias@espasa.es

Impreso en España/Printed in Spain
Impresión: Gráficas Marte, S. A.

Editorial Espasa Calpe, S. A.
Complejo Ática - Edificio 4
Vía de las Dos Castillas, 33
28224 Pozuelo de Alarcón (Madrid)

La Navidad

Maite y Mercedes Figuerola

ESPASA

La víspera
de Navidad ha nevado
y hace mucho frío.

¡Menos mal que Winnie tiene una buena chimenea!

oso
oso

niño
niño

piña
piña

leña
leña

árbol de Navidad
árbol de Navidad

—¿Cómo voy
a celebrar la Navidad
en el bosque sin mi bufanda?
Hay tanto desorden que Winnie
no puede encontrarla.

taburete

estufa

paleta

miel

tetera

9

Nadie la había visto.
Sus amigos tampoco
la encuentran.

topo
topo

vela
vela

lazo
lazo

cola
cola

Winnie busca
incluso dentro
de la chimenea.

calcetín
calcetín

pijama
pijama

En casa, Piglet
busca por todos
los rincones,
también debajo
de la cama.
Sabe que
Winnie sin
su bufanda no
irá a la fiesta
del bosque.

cerdito
cerdito

regalos
regalos

llama
llama

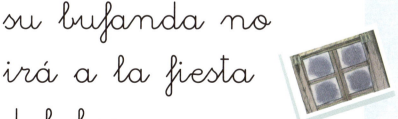

ventana
ventana

guirnalda

guirnalda

picaporte

picaporte

papel

papel

acebo

acebo

—Le haré un
buen estofado
de verduras
para cenar y
para que no se
sienta solo—,
piensa Conejo.

cuenco

cuenco

tigre
tigre

helado
helado

tartera
tartera

—Le haré unas
ricas galletas
—pensó Tigger.
—Y yo un helado
—celebró Topo.

galletas
galletas

mesa
mesa

bollos
bollos

pelo
pelo

Igor, Rito
y Cangu están
listos para
llevarle a
Winnie un
delicioso postre
para el día
de Navidad.

delantal
delantal

borla
borla

flores
flores

¡Qué sorpresa!
Los amigos de Winnie
le han llenado la despensa.

cortina

cortina

puerta

puerta

tarros

tarros

tarta

tarta

Podrán celebrar la Navidad sin salir de casa.

jarrón

jarrón

¡Toc, toc!

Alguien llama a la puerta.

—¿Quién será?

tostada

tostada

gorro

gorro

vaso

vaso

zapatillas

zapatillas

—se pregunta
Winnie,
sorprendido.

escabel

escabel

¡Qué sorpresa! Papá Noel le ha
traído una bufanda nueva.

Papá Noel
Papá Noel

colgador
colgador

renos
renos

trineo
trineo

—¡Adiós, Papá
Noel! ¡Hasta el
próximo año!

abetos
abetos

Winnie the Pooh por fin
ya puede ir al bosque con

todos sus amigos para celebrar la Navidad.

Actividades

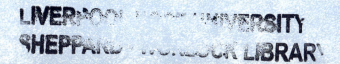

Orientaciones

La memorización visual y la auditiva son básicas para el aprendizaje de la lectura. Reconocer imágenes sugerentes y relacionarlas con sus respectivas palabras, jugar con los sonidos, las palabras y el lenguaje son buenas maneras de ayudar al niño a asentar sus conocimientos.

Se recomienda leer despacio los textos, marcar bien el ritmo y la separación entre palabras y frases, y repetir las palabras para que el niño las memorice visualmente.

Las siguientes actividades y juegos estimularán el gusto por la lectura y quién mejor que los personajes de Disney para acompañarles en este viaje.

Actividades

¡Leer es divertido!

Cualquier momento es bueno para poner un libro en las manos de los más pequeños, aunque no sepan leer. Ayúdales a aprender nuevas palabras. Juntos disfrutaréis leyendo.

1 La fiesta.

Antes de iniciar la lectura de esta historia navideña, recordad juntos cuál es la tradición familiar de la celebración de esta fiesta.

2 Cosas de Navidad.

Dialogad sobre anécdotas, tristes o divertidas, ocurridas durante estas fechas en años anteriores. Por turnos jugad a que cada uno vaya enumerando el vocabulario del libro.

3 ¡A comer!

Ayúdale a construir un centro de mesa para adornarla durante la comida de Navidad. Elegid un plato o bandeja de casa y, entre unas piñas y espumillón, colocad unas velas.

4 ¿Es lo mismo?

Proponle cambiar algunas palabras del texto por sinónimos, sin que cambie el sentido de la frase, para enriquecer su vocabulario.

Un árbol presumido.

Dibuja un árbol de Navidad. Pídele que lo coloree y que pegue bolitas de un collar viejo o similar. ¡Ya tenéis una bonita felicitación navideña!

¿Quién es quién?

¡Cuántos amigos tiene Winnie the Pooh! ¿Pregúntale quiénes son, sus nombres y cómo van vestidos?

A Belén, pastores...

Modelad las figuras del Belén con plastilina.

¡Menuda despensa!

Cuando hayáis acabado de leer esta historia, pídele que explique por qué los amigos de Winnie le llevan comida a casa.